愛する子どもたち、
パールとルーカスへ

THE TRUTH PIXIE GOES TO SCHOOL
by Matt Haig
with illustrations by Chris Mould

Copyright © Matt Haig, 2019
Illustrations © Chris Mould, 2019
Japanese edition copyright © Nishimura Co., Ltd., 2021
Copyright licensed by Canongate Books Ltd,
through Tuttle-Mori Agency, Inc., Tokyo

ほんとうの友だちさがし

真実の妖精のおはなし

マット・ヘイグ／文　　クリス・モルド／絵　　杉本詠美／訳

西村書店

遠い遠い国のお話。

どんなときも、

ひとにやさしくしようと
思っている女の子がいた。

その子の名前は**アーダ**。

お父さんとふたりで、くらしていた。

むかしは幸せだったけど、

このごろは悲しいことばかり。

4

この1年は、つらかった。
住みなれた町をはなれることになり、
学校もかわることになって、
いままでのように笑えなくなった。

おばあちゃんは死んでしまったし、
お父さんは仕事をうしなった。
アーダはなみだをこらえながら、
1年をすごしてきたんだ。

でも、これは悲しいお話じゃない。

　ほんとうさ。だって、いま——

☆アーダのそばには
いつも

真実の妖精

がいるから。

どこに
行くときもね。

6

妖精は、アーダの家で
くらしてる。
その妖精のかみの毛のなかには、
マールタってねずみが住んでいる。

妖精のねどこは、
アーダのベッドの下。
アーダは、妖精の言葉を
なんだって信じた。

そりゃそうさ……

どこにいたって、
どんなときだって、
真実の妖精は
ほんとうのことしか
いわない。

ねこがニャーと
鳴(な)くように、

牛(うし)が　モー　と
鳴(な)くように、

真実(しんじつ)の妖精(ようせい)の口(くち)から
出(で)るのは、真実(しんじつ)の言葉(ことば)
だけ。

こんな友だちがいることが、

アーダはうれしかった。

こんな日がずっとつづいてほしいと

ねがっていた。

アーダと妖精が
はじめて町に出たとき、
みんなが変な顔をするのを見て、
ふたりはおもしろがった。

11

だけど、パン屋に入ろうとしたとき、
アーダはパン屋のおじさんに、
「妖精を店に入れるな！」と、
どなられてしまった。

「なによ、失礼ね！」と、
妖精はいいかえした。
「まずそうなパンばかり
ならべてるくせに！」

家に帰ったふたりは、
テレビでニュースを見ていた。
するといきなり、
妖精がおこりだした。

13

「どうして人間は、かたっぱしから木をきるの？
森はあんなに美しいのに！
それに、どうして海をよごすの？
プラスチックごみでいっぱいだわ！」

アーダのお父さんは、ため息をついた。
「これは、そう単純な問題じゃないんだよ」

アーダは、ほっぺたのにきびをつぶしながら、
妖精のいうとおりだと思った。

アーダは妖精が大好きだった。

ふたりでいると、すごく楽しかった。

寒い冬の日も、

雪がっせんをして遊んだ。

アーダは自分で考えた物語を
妖精に話して聞かせた。
妖精は、その物語に
いっしんに耳をかたむけた。

アーダがピアノをひき、
妖精は、それにあわせて歌った。
曲がハチャメチャになると、
ふたりで大笑いした。

うれしいことがあったときには、
いつも、アーダのそばに妖精がいた。
（喜びをだれかとわかちあえるのは、
最高の幸せだよね）

つらいことがあって、
アーダの気持ちがしずんでいるときも、
やっぱり妖精はそばにいて、
悲しみをやわらげてくれた。

妖精は、真実を教えてくれる。

妖精は、ほんとうのことを話してくれる。

妖精は、アーダがどんな気持ちでも、

そのまま、うけいれてくれる。

はじめてアーダが新しい学校に行く日、
妖精もいっしょについていった。

でも、その学校は、
自分らしくいることがむずかしい場所だった。

算数の時間に、先生がいった。

「無限というのは、どんな数より大きいのよ！」

すると、妖精は「ちがうわ」と、いった。

「ずいぶん物知りなようね」と、先生はため息をついた。

「そんなことないわ」と、妖精はこたえた。

「だけど、ヘリックツってうさぎがいったのよ、

無限より大きい数があるって。それはね……

無限
プラス
＋
1

なんですって」

22

歴史の勉強は

おもしろかった。

でも、妖精にはふしぎで

ならないことがあった。

頭のかたそうな先生だったけど、

妖精は思ったままを聞いてみた。

「どうしてここの歴史には、

人間の話しか出てこないの？

犬も、妖精も、エルフも

ぜんぜん出てこないわ。

人間って、人間のことにしか

興味がないのかしら？」

妖精が思ったことを
　　すなおに口にするたびに、
　　　　アーダは、はずかしくて、
　　　　　　まっ赤になった。

体育の時間になると、
妖精はみんなの笑い者になった。
まっ黄色の体そう着からして
ヘンテコだ。

ボールはとれないし、
走るのもおそい。
何回走っても、
ビリッケツ。

25

学校の子どもたちは、
自分たちとちがうからといって、
妖精のことをばかにした。
みんなと同じでないものは
好きじゃなかったんだ。

26

真実の妖精は、気にしなかった。

これっぽっちも、気にしなかった。

（妖精のかみの毛のなかに住んでいる

ねずみのマールタもね）

だけど、**アーダ**は気_きにしていた。
だって、学校_{がっこう}では、
そんな子_こどもたちと
ずっといっしょだったから。

とくに、このレーナという子は、
目つきがつめたくって、
これ以上ないってくらいに
いじわるだった。

レーナは、妖精だけでなく、

その友だちのアーダのことも、ばかにした。

アーダは**みんなと同じ**ふりをしようとしたけれど、

うまくいかなかった。

「あんたは**ふつう**じゃないわ」

と、レーナはいった。

アーダは目をつぶって、

レーナの悪口を、なんとか聞きながそうとした。

「あんたは笑わない。

それに、しゃべりかたも変。

着てるものはびんぼうくさいし、

お金ももってないわよね。

妖精なんかとくっついてるし、

なんかあると、すぐ泣く。

住んでる家は、ちっぽけだし、

あんたのパパも変人よね。

そもそも、その妖精は、

なんであんたといっしょにいるの?

す────っごく失礼なやつだし、

においときたら、まるで

ウンチ。

妖精なんて、ろくでもない生きものよ。

妖精なんて、たちの悪いやつばっかり。

妖精なんかとくらしてたら、

あんたもどうにかなっちゃうわよ」

アーダは、だまっていた。

なにもいえなかった。

立っているのが

やっとだった。

真実の妖精は、そばで聞いていた。

そして、めちゃめちゃおこっていた。

レーナを**へこませて**やらなきゃ

気がすまなかった。

「教えてあげるわ。

どうしてウンチのにおいがするかといえば、

あたしのかみの毛のなかに住んでるねずみが、

トイレをもってないからよ。

だいたい、なんだってあんたは、

そうやってアーダにからむの？

アーダをもっとつらいめに

あわせなきゃ、気がすまないわけ？

妖精は、ろくでもなくないわ。

妖精は、たちが悪くもない。

まったく、うそもいいとこよ。

ほんと、悲しくなるわ」

レーナは、妖精に顔をよせた。

「うそじゃないわ。
あんたのどこが
　ふつうなのよ？
　どうして、みんなと
同じように
　できないの？」

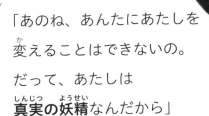

「あのね、あんたにあたしを
変えることはできないの。
だって、あたしは
真実の妖精なんだから」

「あたしは、いつでも

ほんとのことしか、しゃべらない。

夜だってそうだし、

昼間だってそう。

あんたについても、

ほんとのことをいってあげるわ。

あんたは、胸くそ悪い、

おくびょう者のいじめっ子。

うさばらしのために、
ひとのあらさがしをしてる。
でもそんなの、服をかわかそうとして
水をかぶるようなもの。

いいこと教えてあげるから、
だまって聞いて。

スカッと
したければ、
ひとにやさしく
することよ」

「あんたは、いろんなものを
おそれてるわよね。
くもや、なにかのかげ、
バタバタとぶ
こうもり。

犬が大きな声で

ワンワン

ほえるのも、
まっ暗な部屋でねるのも、

こわくて

たまらない。

だけど、自分の
かわりに
だれかをこわがらせても、
こわいと思うあんたの
気持ちが
へることは ない のよ」

レーナは妖精をにらみつけ、
足をふみならした。

「なにさ、**バケモノ**のくせに！
自分を**かわいい**とでも思ってるの？

あんたは人間じゃない。
ここはあんたのいるとこじゃない。
そのヘンテコな声、
とがった耳。

真実ってやつを
まくしたてる妖精のほかに、
アーダに友だちがいないってのは、
おもしろい話よね」

そして、レーナは妖精に手をのばし、
ゆかからつまみあげた。
ねずみのマールタは、おそろしさに
キーキーと、声をあげた。

「やめて、はなしてあげて」
と、アーダはたのんだけれど、
レーナは妖精を、えいっとばかりに
教室からほうりだした。

妖精は、ろうかをピューッと、とんでった。
アーダの手のとどかないところまで。

とびこんだのは、

大きらいな先生のうでのなか。

「なんだ、妖精か！」先生はびっくり。

「いったいなにをやってるんだ?」

「ええと……レーナ・オソロシーに

ぶんなげられたのよ」

その日から、物事は
もっと悪くなっていった。
真実の妖精は、自分がアーダにかけられた
のろいのように思えてきた。

ある日のこと。
だれにも見つからないよう、こっそり
教室にむかっていたアーダの前に、
レーナが立ちふさがった。

「おねがい、そこを通して」
アーダが、いくらたのんでも、
レーナは道をふさいだまま、
ちっとも、どこうとしない。

しかたなく、アーダは
レーナをおしのけ、
教室まで走った。
学校じゅうが敵みたいに
思えた。

授業中は笑い者にされる。

休み時間は、無視される。

これじゃ、友だちは

ひとりもできそうにない。

46

そのようすを見た真実の妖精は、
悲しくて、ため息をついた。
「あなたはちっとも悪くない」と、
アーダにいってあげたかった。

「かわいそうなアーダ。
学校のみんなは、ひどいよね。
人間って、そこまでざんこくな
仕打ちができるものなの？」

すると、アーダはいった。
「でもね、みんなほんとのことよ。
わたしは、ちょっとほかの子とちがう。
ふつうになりたい。変わりたい。

みんなと同じような
しゃべりかたをしたい。
暗い顔ばかりしてないで、
ニコニコ笑えるようになりたい。

わたしを**笑う**ひとのことなんか
気にしないでいられたらいいのに。
うちに**お金**があればいいのに。
こんなに**びんぼう**じゃなきゃいいのに。

みんなみたいな**顔**で
自然に**笑**えたらいいのに。
ワニがガチガチ**歯**を**鳴**らすみたいに
いらいらしないですめばいいのに。

ママが**生**きてたらいいのに。
おばあちゃんが**生**きてたらいいのに。
わかってる。それでもわたしには、
あなたがいるのよね」

「ありがとう」と、妖精はいった。
「そういってくれて、うれしい。
でも、おびえてばかりいる
あなたのすがたは、見たくないわ。

あなたはみんなとちがう。

それは、ほんとうかもしれない。

だけど、ふつうでいることよりも、
自分らしくいられるほうがよくない？

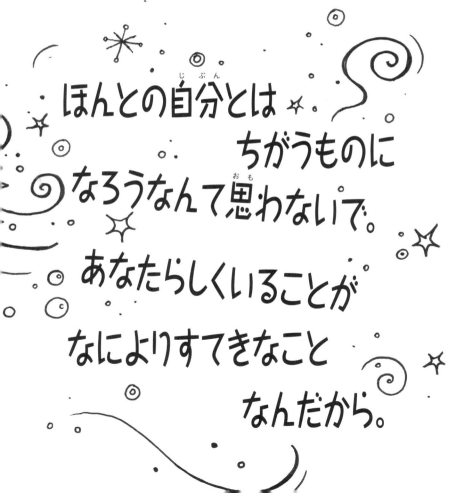

ほんとの自分とは
ちがうものに
なろうなんて思わないで。
あなたらしくいることが
なによりすてきなこと
なんだから。

みんながみんな、いつでも
ふつうだったら、
毎日は、メロディーのない
歌みたいに、たいくつ。

あたしが出あった最高のひとたちは、
みんな、ちょっと変わってた。
たとえば、ファーザー・クリスマス。
おかしな服を着てるし、ひげもヘンテコ。

イースター・バニーは、
耳ばっかりびよーんと長くて、足はみじかいの。
世界じゅうにチョコレートをくばってるけど、
そのチョコを、わざわざたまご形にしてるのよ！！！」

アーダは、ほほえんだけれど、
やっぱりさびしそうに見える。
真実の妖精は、アーダが
かわいそうでならなかった。

夜もふけたころ、
アーダのベッドからは
すすり泣く声が
聞こえてきた。

「ごめんね」と、妖精はいった。
「ぜんぶ、あたしのせいだ」
アーダの目からひとつぶ、
しょっぱいなみだが
こぼれた。

あくる日、妖精は学校で、
なるべくすがたをかくしていた。
アーダに友だちができるように。
いろんなことが、うまくいくように。

だけど、そううまくは
いかなかった。
しばらく、アーダは
前よりつらい思いをした。

みんなは、アーダがかいた
　　トロルやエルフの絵を笑った。
　　　　だけど、なかには、
　　　　　　アーダに同情する子もいたんだ。

エルフ

トロル

女の子がひとり、アーダのそばにきて、いった。

「つらいでしょうね。

あなたの友だちになってあげたいけど、

ごめんね……パパがだめだって、いうの。

妖精は、悪い魔法をつかうって、

パパはいうのよ。

空を暗くしたり、

花をからしちゃったり」

それだけいうと、

女の子は行ってしまった。

アーダはさびしかった。

人間の友だちがほしかった。

ひとりでいいから……。

アーダは考えた。もしも人間の友だちがいたら、
どんなに楽しいだろう。
人間の友だちがいれば、
休み時間につらい思いをすることもない。

ゆうべ妖精がつぶやいた言葉は、
やっぱり真実なのかもしれない。
ぜんぶ、妖精のせいなのかもしれない。
そう思うと、アーダはもう
立ちあがっていた。

そして、さっきの女の子を追いかけ、

いってはいけないことを、いってしまった。

「わたし、妖精とは友だちでもなんでもないのよ。

そんなこと、ありっこないじゃない！」

女の子は足を止め、

ふりかえった。

「そうなの？　だったら、

いっしょに遊びましょ！」

アーダは、人間の友だちと
走っていった。
新しいことが、はじまる気がした。
いっぽうで、なにかがおわった気もした。

真実の妖精は、
近くで、ぜんぶ聞いていた。
妖精は、どこかにとんでいきたくなった。
さびしい１羽の小鳥のように。

「あたしは、いないほうがいいのよ」
妖精はねずみのマールタにいった。
「いっしょに帰ろう。
　あの小さな黄色い家に」

真実の妖精は、

アーダのもとを去っていった。

1通の手紙だけを残して、

北のはてに旅立った。

帰りつくまでに 200 日かかった。

それは、つらい旅だった。

なつかしいわが家にたどりついても、

心は重くしずんでいた。

真実の妖精は、
町を歩いてみた。

エルフや
ピクシーと
話してみて、

みんな真実が
好きなんだと
わかった。

ただし、自分のことを
いわれるのは、べつ。

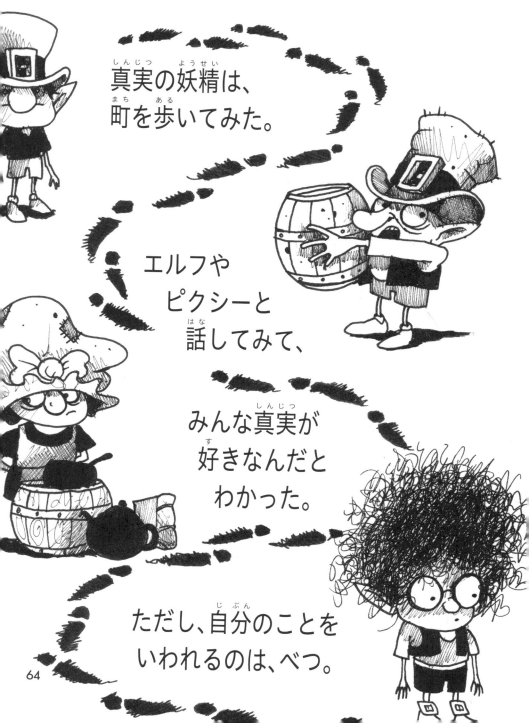

北のはてにもどった週に、真実の妖精は、

きょうだいのシリルに会いにいった。

シリルは、うんと背がひくい。

リスと変わらないくらいに、ひくい。

ごぶさたしていたおわびに行ったのだけど、

シリルに 3000 人も友だちがいると聞いて、

そのわけを知りたいとも

思ったんだ。

シリルの家は、深い森のなか。
パーティーのまっさいちゅうで、
マールタにも、チーズを
ごちそうしてくれた。

「やあやあ、ほんとに
ひさしぶりだねえ！
会えて、**ほんっとうに**、うれしいよ。
しかも、わざわざうちまで来てくれるなんてね！」

「ほんと？　ほんとにうれしい？
あたし、このごろずっと
この顔をかくしていたい
気分なのよ」

「もちろん、ほんとさ。
ずっと会いたかったんだ。
なんたって、**じまんのきょうだいだ**。
ぼくもアヌーシュカのようになりたいよ」

「アヌーシュカ？」
それは、真実の妖精のほんとうの名前だった。
ずっと**真実の妖精**とよばれていたせいで、
自分でもわすれかけていた。

それも ✳ ○ ∙ ～～ ✳

○ ✳ これも、

ジュリア大おばさんのせいだ。

✳ ∙ いつでも 真実 しかいえなく

なったのも、あの魔法のせい。 ☆

でも、そのとき、
だれかのささやく声が聞こえた。
それは、マザー・ブレールという名の
エルフのおばあさんだった。

かしこい
マザー・ブレールは
真実の妖精にいった。
「用心なさいよ、
妖精さん。
お気をつけなさい」

69

「どうして？」と、妖精は聞いた。
「いったい、なんの話？」
「シリルのことよ。あいつの
いうことを信じちゃだめ。

みんな、シリルが大好きよ。
だけど、そのわけを知ってる？
いつでもどこでも、あいつは
ウソしかいわないからよ。

あんたがるすにしてるあいだに、
シリルはおかしくなっちまったの。
それというのも、あんたの
大<ruby>大<rt>おお</rt></ruby>おばさんのジュリアのせいよ。

ジュリアはいたずら好<ruby>好<rt>ず</rt></ruby>きで、
ふざけてばっかり。
今度<ruby>今度<rt>こん ど</rt></ruby>はシリルに、
みょうな魔法<ruby>魔法<rt>ま ほう</rt></ruby>を
かけちまったのさ！

あいつは、エルフのように
おしゃべり上手になった。
だけど、あたしたちエルフとちがって
ウソばっかりついてるのよ！」

「つまり、シリルは
いつわりの妖精になったってこと？」
真実の妖精が考えながら
歩いていると、むこうから
シリルがやってきた。

「みんな、すごいね！
みんな、すばらしいよ！」
「なるほど……ウソをつけば、
友だちができるのね」

シリルの家についていくと、
お客さんたちに紹介してもらえた。
お客の数は、ピクシーよりエルフが多い。
シリルが「**エルフは最高！**」って、ウソをいったからだ。

「こちらは、ファーザー・トポ。

じつにりっぱなエルフだよ！

トポが、ぼくの兄さんだったら、

うれしいだろうなあ！」

そこへ、トロルがやってきた。
シリルはおそれもせずに、
「やあ、いらっしゃい！」と、
あいさつした。

「はじめてパーティーによばれたよ！」
うれしそうなトロルに、
真実(しんじつ)の妖精(ようせい)はいった。
「こんなオナラくさい客(きゃく)、ごめんだわ！」

トロルは顔色を変え、
体をブルブルふるわせた。
そして、ドスドス足をふみならし、
地面をゆらして、去っていった。

真実の妖精は、だまりこんだ。
悲しくて、胸がつぶれそうだ。
あたし、ひどいことをしちゃった？
レーナみたいにいじわるだった？

76

妖精は、トロルを追いかけた。
「ごめんなさい！　悪気はなかったの！
あたしには、真実がわかる。
それが、勝手に口から
出ちゃうだけなの！

あたしだって、くさいのよ。
この頭をかいでみて。ねずみ
のフンのにおいがするわ。

そうそう、あたし知ってるの。
トロルにも親切なとこがあるよね。
こまってるひとを助けたりとか。
それに、好奇心おうせいで……」

だけど、もうおそかった。

トロルはプンプンして、いってしまった。

「ほんとのことをいわないですむ
方法はないのかしら」

すると、シリルがいった。

「ウソをつけばいいのさ！」

「それができたら、苦労しないわ」

真実の妖精は、ため息をついた。

78

シリルにはどんどん友だちができるのに、

真実の妖精は、相手をおこらせてばかり。

「お味はいかが？」と、シェフに聞かれると、

「あたしの好みじゃないわ」と、こたえてしまう。

トロルも、エルフも、ピクシーも、

うさぎも、みんなカンカン。

「ゆるして。真実を話してしまうのは

あたしの悪いくせなの！」

79

真実の妖精は、
パーティーをぬけだした。
「もう、家でおとなしく
してることにするわ」

そのころ……
ずっと遠くの、南の町で、
アーダはたくさんの友だちにかこまれ、
毎日をすごしていた。

いまではみんな、アーダのことが好きで、
あのいじわるなレーナでさえ、
「あんたも、まあまあふつうに
なったわね！」と、いってくれた。

だけどアーダは、なにかが胸に
ひっかかってる気がした。
昼間は笑っているけれど、
夜はなみだがこぼれた。

ある晩、アーダのお父さんが
部屋にきて、いった。
「あの妖精がいないと、さびしいよ。

おまえは、もっとさびしいだろうね」

「そうよ、パパ、そのとおりよ。
それに、妖精さんが出ていったのは、
わたしのせいなの。
いったい、どうしたらいい？

わたし、ほんとにばかだった。
とんでもないまちがいをしたの。
いまのわたしは、
歌をなくした小鳥のよう。

どうしても、妖精さんのことを考えてしまう。

いったいどんな気持ちだったかしら。

学校にいても、妖精さんのことを思いだす。

ごはんを食べてても、妖精さんのことを思いだす。

あの妖精さんは、とくべつな友だちだったの。

いつでもわたしの心をあたためてくれた。

あらしのなか、わたしを乗せて運んでくれる船のように、

妖精さんは、たのもしかった。

だから、あやまりたいの。

ごめんなさいって、いいたい」

すると、お父さんはいった。

「じゃあ、手紙を書いたらどうかな？」

それからしばらくたった、ある晩のこと。

真実の妖精は、

北のはてのはてにある

おもちゃ工房をたずねていた。

そこでおもちゃのできばえをテストして

いるのは、妖精の古くからの友だち。

名前は、ファーザー・クリスマス。

そう、あの有名なサンタクロースだ。

「ねえ、ファーザー・クリスマス、
あたし、とっても落ちこんでるの。
だいじな友だちをなくして、
かわりに見つけたのは、このしかめつら」

「そりゃ、アーダって子の話かい？」
ファーザー・クリスマスが聞くと、
妖精は、暗いまどの外を見つめながら、
「そうよ」とこたえた。

「あの子はちがうと思ってた。

やさしい子だと思ってたの。

だけど、あたしをうらぎった。

それが、とても悲しいの」

ファーザー・クリスマスには、

妖精の悲しみが、

いたいほどわかった。

なんとかしてやりたかった。

88

「アーダという子は、悪いことをした。
だが、よーく考えてみてごらん。
その子がどんな気持ちでいるか、
きみにはわかるはずだよ」

真実の妖精は、考えてみた。
そして、深いため息をついた。
アーダが、とてもとても悲しんでいることが
わかったからだ。

「あたし、アーダに会いたい。
すごく会いたい。
アーダと話ができたら
いいのに」

ファーザー・クリスマスは、にっこり。
妖精を元気づけるいい方法を
思いついたんだ。とってきたのは、
自分あての1通の手紙。

アーダより

「ちょっと前に、アーダから
この手紙がとどいたんだ。
いいたいことが、たくさん
あったようだよ」

ファーザー・クリスマスは、
真実の妖精に手紙を見せた。
妖精は、大好きな本を読むように、
むちゅうで、その手紙を読んだ。

ファーザー・クリスマスさま

わたしの名前は、アーダです。

フィンランドに住んでいます。

あなたへの手紙には、クリスマスに

ほしいものを書くものですよね。

まだ5月ですけど、わたしは、

いま、おねがいを聞いてほしいのです。

わたしは、たいせつな友だちを

おこらせてしまいました。

真実の妖精さんです。

妖精さんのことは、

知ってますよね。

おこらせただけでもいけないのに、
もっとひどいことをしました。
わたしはウソをついたんです。
「妖精さんとは友だちじゃない」と
ほかの子にいってしまいました。
ほんとは、いちばんの
友だちなのに。
妖精さんにあやまりたい。
どうか、この気持ちを
つたえてください。
それが、わたしのねがいです。

アーダより

手紙を読んでいるうち、
真実の妖精の目に、なみだがうかんできた。
「泣いてもいいんだよ」 と、
ファーザー・クリスマスがいった。

「インクにペンが必要なように、
きみにも必要なことがある。
その子のところにもどって、
もう一度、友だちになることだ。

あの子は、きみのことが大好きなんだ。
ずうっと、大好きだったんだよ。
きみとのくらしが、ほんとうに
楽しかったんだ」

こうしてその夜、真実の妖精は、
アーダの家に向かった。
満天の星のもと、
空とぶトナカイに乗って。

そしてその夜のうちに、妖精は
なつかしい庭におりたった。
「乗せてくれて、ありがとう、
ブリッツェン」

朝、アーダは、ベッドの下をのぞいてみた。
だれもいるはずはないと思っていた。
だけど、そこに見つけたんだ、
友だちのすがたを。

「ああ、妖精さん！妖精さん！
もどってきてくれたのね！
あなたがそばにいるって、
なんてすばらしいことかしら。

ごめんなさい、ごめんなさい。
わたし、ほんとにばかだったわ。
あのとき学校^{がっこう}で、あなたに
あんなひどいことをするなんて。

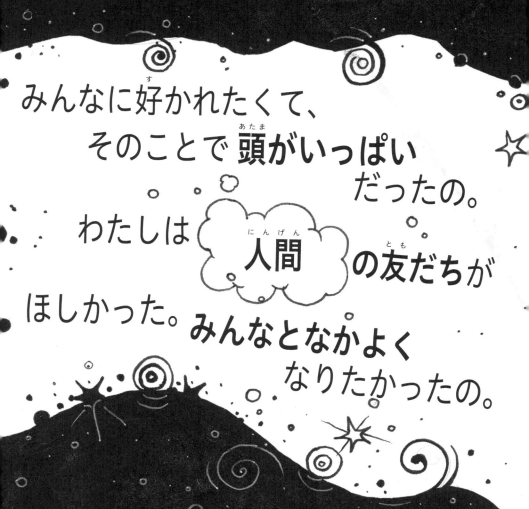

みんなに好^すかれたくて、
そのことで頭^{あたま}がいっぱい
だったの。
わたしは人間^{にんげん}の友^{とも}だちが
ほしかった。みんなとなかよく
なりたかったの。

わたしは、ほかのみんながこわかった。

なかまはずれにされてる気がしてた。

でも、悪口をいわれるより、

つらいことがあるのね。

それは、ウソをついて
友だちをきずつけたときに、
心の
ずーっと、おくで
感じる気持ち。

そう、ほんとの友だちに、
かわりはいない。

ほんとの友だちは、なにより
だいじ。

ほんとの友だちは
かけがえがないわ。

この世に東がなかったら、
西だって、なくなっちゃう。
わたしには
あなたが必要なの。

あなたがいてくれたら、それだけでいい。

昼は気持ちが明るくなり、夜は心がやすらぐわ。

だから、真実の妖精さん、

おねがいよ。ずっと、ずっと、ずーっと、わたしのそばにいてちょうだい。

101

妖精さん、わたしが悪かったわ。

あなたにもどってきてほしいの。

いやだといわれても、しかたない。

それは、わかってるんだけど……」

真実の妖精は、にっこりした。

そして、自分の気持ちを正直に話した。

「あたしも、ここにもどりたい。

ほかのどこより、あなたのそばがいいわ」

つぎの日、学校で、
アーダはみんなの前に立った。
そして、勇気をふりしぼり、
話しはじめた。

友だちだったはずの子どもたちは、
アーダをとりかこみ、げらげら笑った。
その声にかき消されないよう、
アーダは声をはりあげた。

「ここにいる、わたしのだいじな友だちのことを
笑いたければ、笑えばいいわ。
かん高い声のことも、とがった耳のことも、
好きなだけ笑ったらいい。

わたしの悪口も、
いくらでも、いっていいわ。
妖精と友だちだってことも、
それをうれしく思ってることも。

あなたたちとはいろいろちがうし、
わたしともちがってるけど、
妖精さんは、すてきよ。
あなたたちには、わからないだけ」

「そいつは**ふつう**じゃないわ！」と、レーナがいった。

「あんたもよ、アーダ。

ねずみのフンのにおいのする

妖精なんかと友だちなんだもの！」

だけど、アーダは平気だった。

気にせず、ニコニコしていた。

妖精のかみの毛にかくれているねずみも、

レーナのいうことなんか、

気にしなかった。

「わたしもふつうじゃないって？
そうよ、レーナ、そのとおりよ。

だけど、ふつうになる必要ある？

それより、自分らしくいるほうが

よくない？

ふつうなんて、つまらない。
ふつうなんて、あくびがでちゃう。
きれいに刈りこまれたしばふより、
そこからとびだした
草のほうがよくない?

うぅん、どうせなら、
わたしは花がいいわ。
自分らしい花を
咲かせるの。
みんなと同じより
ちがってるほうがいい。
その**ちがい**が
力になるんだから」

アーダは、ずっと前にいわれた言葉を思いだしていた。
真実の妖精が、アーダにいった言葉。

そして、ゆっくり
その言葉をつぶやいた。

「ほんとの自分とは
　　　　　ちがうものに
　　　なろうなんて思わないで。

自分らしくいることは、
　　　なによりすてきなこと
　　　　　　　なんだから」

真実の妖精は、ほほえみ、
顔をまっ赤にした。
自分のいったことを友だちが
ちゃんとおぼえててくれたのが
うれしかった。

アーダの話には、
まだつづきがあった。
「ほんとの友だちに出あえて、
心からよかったと思ってる。

ときどき失礼なこともいうけど、
それは、真実しか口にできないから。
だけど、ウソをつかれるよりましでしょ？
あなたたちは、ウソもつくけどね。

わたしは、ほかにも友だちがほしかった。
みんなとなかよくなりたかった。
でも、妖精さんと友だちでないふりはできない。
だって、そんなのまちがってるから」

聞いていた子どもたちのなかには、
そのとおりだと思う子もいて、
そのうちのひとりが、声をあげた。

「ぼくもそう思うよ。
ほんとの友だちがいるって、
なによりすてきなことだ。
ぼくは、きみの妖精のことも好きだな。♪
会えてよかったと思ってるよ」

もちろん、なかには
べつの考えかたをする子もいた。
でも、もうアーダが
そういう子たちを気にすることはなかった。

真実の妖精は、アーダにいった。
「いじめっ子なんて、かわいそうなものよ。
大きくなって、さびしい思いを
することになるんだから」

「そうね、妖精さん。

それにわたし、わかったの。

あなたみたいな友だちがいれば、

どんなことがあっても、平気。

まわりのいうことなんか

気にしなければ、そのうち

いやがらせなんて、

だれもしなくなる。

自分をごまかし、
自分にウソをついて
友だちのふりをしたって、
そんなの、意味ないわ。

人気者になるのは、いいことよ。
それで、ほんとに楽しければね。
だけど、自分にウソをついては、だめ。
自分らしさをなくしちゃ、だめなの」

それが、アーダの
学んだことだった。
うれしいときも、悲しいときも、
ありのままの自分でいようと決めたんだ。

おとなしい子も、さわがしい子も、
お金があっても、なくっても、
自分に正直でいれば、
毎日はうんと楽しくなる。

ほんとうの友だちは、
相手の家の大きさなんか気にしない。
そもそも友だちが人間とはかぎらない。
ピクシーや、ねずみだっていい。

友だちがうさぎでも、エルフでも、
友だちは友だち。

だいじなのは、ありのままの自分で
いられるかどうか。

119

その夜おそく、
アーダのベッドの下から
真実の妖精の声が聞こえてきた。
それは、こんな言葉だった……

「自分にウソをついて生きてても、
なんにもならないわ。
死ぬまでずっと、自分らしく
いられるほうがいい。
あなた自身が、あなたの友だちになるの。
もうわかったでしょ?
この世に、あなたはひとりきり。
そのままのあなたが、いちばんよ」

そこで、アーダはいった。
「そのとおりだわ、妖精さん。
いつもだいじなことを
教えてくれて、ありがとう」

妖精は、いった。

「あたしも、お礼をいわなくちゃ。

あなたとあたしは、最高の友だち。

こんな友だち、ほかにいないわ」

「そうね、わたしもそう思う」

アーダは、にっこりほほえんだ。

「じゃあ、おやすみなさい、妖精さん……」

「……また、あした」

文＊マット・ヘイグ（Matt Haig）

イギリスの作家。大人向けの作品に、『今日から地球人』『＃生きていく理由 うつ抜けの道を、見つけよう』（早川書房）などがある。児童書作品で、ブルー・ピーター・ブック賞、ネスレ子どもの本賞金賞を受賞。息子に「ファーザー・クリスマスはどんな子どもだったの?」とたずねられたことから『クリスマスとよばれた男の子』を執筆。続編は『クリスマスを救った女の子』『クリスマスをとりもどせ!』。この「クリスマスは世界を救う」シリーズ全3巻は「クリスマス・ストーリーの新定番」としてイギリスで人気をよんでおり、そこに登場する妖精を主人公にした作品に『ほんとうのことしかいえない真実の妖精』がある（いずれも西村書店）。

絵＊クリス・モルド（Chris Mould）

イギリスの作家、イラストレーター。文と絵の両方を手がけた作品を多数発表するほか、『ガチャガチャゆうれい』（ほるぷ出版）など多くの子どもの本のイラストも担当し、ノッティンガム・チルドレンズ・ブック賞を受賞。「クリスマスは世界を救う」シリーズ全3巻、『ほんとうのことしかいえない真実の妖精』（いずれも西村書店）のイラストも手がけている。子どものころの自分が喜びそうな本を書くのが楽しみ。

訳＊杉本詠美（すぎもと えみ）

広島県出身。広島大学文学部卒。おもな訳書に、『テンプル・グランディン 自閉症と生きる』（汐文社、第63回産経児童出版文化賞翻訳作品賞を受賞）、『シロクマが家にやってきた!』（あかね書房）、『いろいろいろんなかぞくのほん』（少年写真新聞社）、「クリスマスは世界を救う」シリーズ全3巻、『ほんとうのことしかいえない真実の妖精』（いずれも西村書店）。東京都在住。

ほんとうの友<ruby>だ<rt>とも</rt></ruby>ちさがし　真実<ruby>しん<rt></rt></ruby>の妖精<ruby>よう<rt></rt>せい</ruby>のおはなし

2021年11月12日　初版第1刷発行

文＊マット・ヘイグ

絵＊クリス・モルド

訳＊杉本詠美

発行者＊西村正徳

発行所＊西村書店 東京出版編集部
〒102-0071 東京都千代田区富士見2-4-6
Tel.03-3239-7671　Fax.03-3239-7622　www.nishimurashoten.co.jp

印刷・製本＊中央精版印刷株式会社
ISBN978-4-86706-021-6 C8097　NDC933

マット・ヘイグの本

イラストがいっぱい！

真実の妖精のおはなし 1作目！

ほんとうのことしかいえない
真実の妖精

マット・ヘイグ / 文　　クリス・モルド / 絵
杉本詠美 / 訳　　　　●120頁　定価：1200円＋税

ほんとうのことをいって、いつもみんなをおこらせてしまう真実の妖精。ある日、人間の女の子から自分の未来についてほんとうのことをいってほしいとたのまれて……。自分を受け入れるまでの心あたたまる物語。

クリスマスは世界を救うシリーズ　全3巻

マット・ヘイグ / 文　　　クリス・モルド / 絵　　　杉本詠美 / 訳

クリスマスとよばれた男の子

ついに映画化！

〈第1巻〉　　304頁
サンタクロースはどうやって誕生したの？　ニコラスの人生を変えた大冒険が始まる。
●定価：1200円＋税

クリスマスを救った女の子

〈第2巻〉　　368頁
大好きなクリスマスがこないなんて本当!?　アメリアが活躍するどきどきのクリスマス・ストーリー続編。
●定価：1300円＋税

クリスマスをとりもどせ！

〈第3巻〉　　352頁
エルフの村で暮らすアメリアは、ある日、サンタをワナにはめようとする悪だくみに気づく。
●定価：1300円＋税

真実の妖精も出てくるよ！